D1408233

Personajes del Mundo Hispánico

Historical Figures of the Hispanic World

Conoce a • Get to Know Simón Bolívar

Edna Iturralde

Ilustraciones • Illustrations
Ytziar Cori Álvarez

Traducción • Translation
Joe Hayes & Sharon Franco

ALFAGUARA

Para mis nietos, Chaz, Tacéo, Kilian, Adrian y Thomas, con todo mi amor

For my grandchildren: Chaz,
Tacéo, Kilian, Adrian, and
Thomas, with all my love

Palomo Blanco trepaba con dificultad por la pendiente lodosa, tratando de no resbalar. Sabía que su amo, a quien llevaba a cuestas, dependía de su habilidad para continuar abriendo el camino por donde seguirían los otros caballos con sus jinetes y los soldados que marchaban a pie. Delante de él iba Nevado, alertando con sus ladridos cuando el suelo casi desaparecía al filo del barranco que ojos humanos no podían distinguir por la niebla. Entonces, los hombres desmontaban y continuaban a pie, apegados a la montaña. Todos, menos el amo de Palomo Blanco, que confiaba en él a ojos cerrados.

Palomo Blanco struggled up the muddy mountainside, trying not to slip. He knew that his master, who was riding on his back, depended on his ability to keep opening the trail for the other horses and their riders and the foot soldiers to follow. In front of him Nevado gave warning barks whenever the path almost disappeared at the edge of the cliff—which the fog made invisible to human eyes. At those times, the men dismounted and went ahead on foot—except for Palomo Blanco's master, who had blind faith in his horse.

Llevaban un mes de viaje por las cumbres de los Andes. Iban abriendo un camino que parecía estar entre las nubes, donde el aire no alcanzaba a subir y por eso les costaba respirar. Un camino donde el sueño no llegaba por las noches y la esperanza parecía haber rodado cuesta abajo.

Cuando el cielo se volvió del mismo color del lodo, el amo de Palomo Blanco ordenó a su ejército detenerse en una meseta. Nevado encontró un cobertizo y una choza donde llevaron a los que estaban enfermos por el frío y la falta de comida.

—El amo ha llamado a reunión en el cobertizo —Palomo Blanco relinchó preocupado.

—Eso escuché —ladró Nevado—. Parece que hay problemas.

They had been traveling for a month in the high peaks of the Andes. They were opening a trail that seemed to be passing through the clouds, so high up the air hardly made it there and they had to work hard to breathe. It was a trail where sleep didn't come at night and hope seemed to have rolled away downhill.

When the sky turned the same color as the mud, Palomo Blanco's master ordered the army to halt on a small flat area. Nevado found a ramada and a hut where they carried the men who were sick from the cold and the lack of food.

"Our master has called a meeting under the ramada," Palomo Blanco whinnied in a worried voice.

"So I heard," Nevado barked. "There seem to be some problems."

—Vaya, vaya, podría asegurar que ustedes dos conversan —rió el amo, retirando la montura del caballo—. Bueno, quizá se quejan por estar mojados. Los secaré por turnos. El más lanudo primero —dijo, y comenzó a secar con movimientos rápidos el cuerpo de Nevado, deteniéndose más tiempo en el pelaje blanco que tenía en el lomo y que le daba su nombre. Después secó al caballo, y solo ahí se ocupó de sí mismo.

"What's this? What's this? I could swear that you two are talking," the master laughed, lifting the saddle off the horse. "Well, maybe you're complaining about being wet. I'll dry you one at a time, the one with the thickest hair first," he said and started drying Nevado's coat with brisk movements, spending extra time on the white fur on his back, which gave him his name. Next he dried the horse. Only then did he look after himself.

Era un hombre de estatura pequeña, rostro alargado, ojos negros y brillantes como carbones, nariz alargada y labios gruesos. Se llamaba Simón Bolívar, e iba al mando de aquel ejército. Con una mano se secó los cabellos oscuros y rizados y con la otra se desabotonó su casaca militar, que no solo estaba empapada sino en harapos debido a las durezas del viaje.

He was a small man with a long face, black eyes like two chips of coal, a long nose and thick lips. His name was Simón Bolívar and he was the commander of that army. With one hand he dried his curly black hair and with the other he unbuttoned his military coat, which was not only soaked, but ragged and torn by the hardships of the journey.

—Me pregunto de qué hablarán —Palomo Blanco señaló con su cabeza al cobertizo.

—Si tienes tanta curiosidad, yo puedo entrar sin que lo noten —sugirió Nevado.

A Palomo Blanco le pareció buena idea.

Nevado demoró en regresar. Cuando lo hizo, traía las orejas gachas.

—¿Te descubrieron? —preguntó Palomo Blanco al verlo así.

"I wonder what they're talking about," Palomo Blanco nodded his head toward the ramada.

"If you're so curious, I can sneak inside without being noticed," Nevado suggested.

It sounded like a good idea to Palomo Blanco. It was a while before Nevado came back. When he did, his ears were drooping.

"Did they catch you?" Palomo Blanco asked when he saw how the dog looked.

—No. Fue peor que eso. Algunos soldados se niegan a continuar el viaje y piden volver.

—¿Volver? ¿Retroceder? Entonces nuestro amo no podrá llevar la Independencia a los humanos que están al otro lado de estas montañas —relinchó Palomo Blanco furioso.

—El amo está tratando de convencerlos de lo contrario. Pero no sé si esta vez lo logre —Nevado aulló tristemente.

—Pues confiemos en que sí. Es valiente y decidido. Esto hace que sus hombres quieran acompañarlo. ¿Recuerdas lo que nos sucedió en Quiamare, en los llanos del Orinoco? —preguntó Palomo Blanco.

"No. It was worse than that. Some of the soldiers are refusing to go on. They want to go back."

"Go back? Retreat? Then our master won't be able to liberate the humans who are on the other side of these mountains," Palomo Blanco neighed furiously.

"Our master is trying to persuade them to change their minds. But I don't know if he can do it this time," Nevado howled sadly.

"Well, we have to trust that he can. He's brave and determined. That makes men want to follow him. Don't you remember what happened at Quiamare, in the Orinoco Valley?" Palomo Blanco asked.

—¡Claro que sí! Iban solo 15 compañeros, más bien dicho 17, incluyéndonos a nosotros dos, cuando nos encontrábamos en aquel pequeño bosque. El enemigo vio nuestra bandera, pero...

—¡Ellos no sospechaban que fuéramos tan pocos! —relinchó Palomo Blanco con gusto.

—Entonces el amo urdió un plan: ¡empezó a dar órdenes fingiendo que tenía bajo su mando a cientos de soldados! —continuó Nevado sin darse cuenta de que batía su cola en un charco de agua.

"Of course I do! There were only fifteen comrades, or rather seventeen, if we include the two of us, when we were passing though that little forest. The enemy saw our flag, but . . ."

"They never suspected that there were so few of us," Palomo Blanco whinnied happily.

"Then our master came up with a plan: He began to shout orders, pretending he had hundreds of soldiers at his command," Nevado went on, unaware that he was slapping his tail in a puddle of water.

—"¡Seguidme mis valientes!", gritó el amo, y yo emprendí veloz galope al frente...
—Palomo Blanco retomó el relato.

—Un momento: recuerda que yo iba adelante, ladrando con ferocidad —interrumpió Nevado.

El caballo le dio la razón y continuó:

—Los demás nos siguieron, gritando. Fueron tan audaces que los españoles pensaron que detrás venía el resto del ejército.

—¡Y huyeron! —Nevado se rascó la oreja con entusiasmo.

" 'Follow me, brave boys!' our master shouted, and I broke into a gallop, up front, ahead of them all," Palomo Blanco continued the story.

"Wait a minute. I remember that I was at the lead, barking ferociously," Nevado interrupted.

The horse admitted that he was right and went on. "The rest of them followed us, shouting. They were so fearless that the Spaniards thought the rest of the army was following behind them."

"And they ran away!" Nevado scratched his ear excitedly.

En ese momento llegó Tinjacá, un soldado mucuche que se encargaba de alimentar a Nevado y tenía la costumbre de conversar con él. Tinjacá dijo que la reunión había tenido éxito y que los hombres aceptaron seguir al Libertador por aquel paso de los Andes.

—Los hizo entrar en razón, Nevado —Tinjacá habló en voz baja. Nevado alzó las orejas—. Siempre he sospechado que me entiendes, bandido —dijo Tinjacá con seriedad. Nevado dio dos fuertes ladridos—. El Libertador les dijo que su valor y su fe en la libertad les traerán la victoria —añadió Tinjacá.

El soldado le rascó la cabeza al perro y acarició el lomo del caballo. Después se desvaneció en la oscuridad de la noche.

Just then Tinjacá, a young Mucuche soldier who was in charge of feeding Nevado and who often talked with him, arrived. Tinjacá said that the meeting had ended successfully and that the men had agreed to follow *El Libertador* on through the Andes.

"He brought them to their senses, Nevado," Tinjacá spoke softly. Nevado pricked up his ears. "I've always suspected that you understand me, you rascal," Tinjacá said seriously. Nevado gave two loud barks. "*El Libertador* told them that their courage and their faith in liberty would bring them victory," Tinjacá added.

The soldier scratched the dog's head and stroked the horse's back. Then he disappeared into the darkness of the night.

Caballo y perro se miraron felices.

Palomo Blanco sacudió su larga crin y relinchó como lo hacía al amanecer para saludar al nuevo día.

Nevado correteó en círculos tratando de morderse su propia cola.

The horse and the dog exchanged a happy look.

Palomo Blanco shook his long mane and whinnied, the way he did at dawn to greet the new day.

Nevado ran around in circles, trying to bite his own tail.

Al día siguiente, los tres amigos continuaron en la delantera, abriendo camino en la montaña seguidos por otros valientes soñadores. El camino era tan alto que parecía estar suspendido entre las nubes. Sabían que muchos peligros tratarían de detenerlos, pero al final nada impediría que llegaran a su destino y cumplieran su misión.

Y eso fue exactamente lo que sucedió.

The next day the three friends pressed on in the lead, opening the way through the mountains, followed by other brave dreamers. The trail was so high that it seemed to be suspended between the clouds. They knew that many dangers would try to hold them back, but in the end nothing would stop them from reaching their destination and fulfilling their mission.

And that is exactly what happened.

Edna
nos habla de
El Libertador

El General Simón Bolívar recibió el título de El Libertador por liberar del imperio español a un gran territorio que hoy ocupan seis países latinoamericanos: Venezuela, Colombia, Panamá, Ecuador, Perú y Bolivia. Su sueño era formar una confederación de naciones a la cual llamó La Gran Colombia, y de la cual fue presidente.

Nació en Venezuela, en la ciudad de Caracas, el 24 de julio de 1783. Tuvo dos hermanas y un hermano. Simón fue el menor y el más travieso. Puedo imaginármelo jugando por el amplio patio de la casa montado a caballo… en un palo de escoba, escondiéndose para no asistir a las lecciones de su tutor y subiéndose a los árboles a comer guayabas.

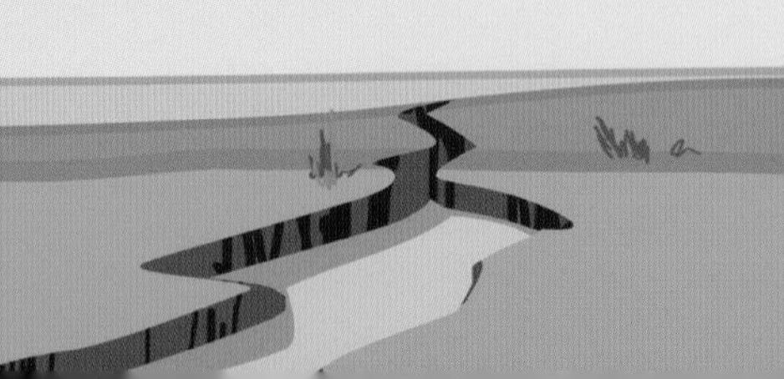

Su padre murió cuando tenía tres años y su madre, seis años después. Sin embargo, fue criado por una maravillosa mujer negra llamada Hipólita que lo quiso como a un hijo.

Sin haber asistido a una academia militar, fue un estratega genial y supo planear las batallas en todo detalle. El Cruce de los Andes, que he relatado, tuvo lugar en mayo de 1819, cuando Simón Bolívar tenía 36 años. Sus soldados también eran jóvenes, pero no estaban acostumbrados a los helados páramos de las montañas, a más de 14,000 pies de altura. A pesar de las penurias, cruzaron los Andes y lograron la independencia de sus hermanos colombianos, ecuatorianos y peruanos en una hazaña nunca antes realizada.

El Libertador amaba a los animales. Tuvo dos mascotas entrañables: el caballo Palomo Blanco, nacido en una de sus haciendas, y el perro Nevado, que le regalaron en el pueblo de Mucuchíes. Con ellos a su lado, participó tanto del peligro de la guerra como de la alegría de los festejos. Al entrar a las ciudades liberadas más de una corona de flores cayó al paso de El Libertador, Palomo Blanco y Nevado.

Simón Bolívar murió de tuberculosis a los 47 años en una finca en Santa Marta, Colombia, en 1830. Ese mismo año, su sueño de La Gran Colombia se desintegró.

Edna Talks about *El Libertador*

General Simón Bolívar received the title of *El Libertador* for liberating from Spanish rule a vast territory which now is made up of six countries: Venezuela, Colombia, Panama, Ecuador, Peru, and Bolivia. His dream was to form a confederation of nations, which he called La Gran Colombia and of which he was president.

He was born in Venezuela, in the city of Caracas, on July 24, 1783. He had two sisters and a brother. Simón was the youngest and the most mischievous. I can imagine him playing in the large patio of the house, riding his horse—a broomstick—, hiding so he wouldn't have to go to study with his tutor, and climbing trees to pick guavas.

His father died when he was three years old, and his mother died six years later. He was raised by a wonderful black woman named Hipólita who loved him like a son.

Without ever having attended a military academy, he was a brilliant strategist who could plan every detail of a battle. The Crossing of the Andes, the story I have told here, happened in May of 1819, when Simón Bolívar was thirty-six years old. His soldiers were young too, but they weren't used to the frozen mountain wilderness at altitudes over 14,000 feet. In spite of the hardships, they crossed the Andes and won independence for their Colombian, Ecuadorian, and Peruvian brothers, a feat never before accomplished.

El Libertador loved animals. He had two beloved pets: the horse named Palomo Blanco, born on one of his ranches, and the dog named Nevado, given to him in the village of Mucuchíes. With them at his side, he experienced both the dangers of war and the joy of public festivities. When they entered the liberated cities, more than one crown of flowers fell at the feet of *El Libertador*, Palomo Blanco, and Nevado.

Simón Bolívar died of tuberculosis at the age of forty-seven on a farm in Santa Marta, Colombia, in 1830. That same year his dream of La Gran Colombia was shattered.

Glosario

audaz: Capaz de hacer cosas poco comunes sin miedo a las dificultades o los riesgos.

barranco: Precipicio lleno de tierra y piedras en el que hay peligro de desprendimientos.

casaca: Abrigo ajustado al cuerpo, largo y muy adornado.

choza: Casa muy pequeña y tosca, hecha con troncos o cañas y cubierta con paja o ramas.

cobertizo: Lugar cubierto donde se resguardan del viento y la lluvia personas, animales, herramientas, etc.

crin: Pelos gruesos y largos que tienen los caballos y otros animales a lo largo de la parte superior del cuello.

decidido: Que actúa con firmeza y seguridad.

destino: Lugar a donde se dirige alguien o algo.

desvanecerse: Desaparecer poco a poco de la vista.

entrar en razón: Convencerse de que algo que se pensaba o se iba a hacer no es conveniente o bueno.

gachas: Inclinadas hacia abajo.

galope: Manera de andar del caballo y de otros animales, la más rápida de todas, en la cual el animal llega a mantener por un momento las cuatro patas en el aire.

harapos: Ropa sucia, rota y muy gastada.

misión: Trabajo o encargo que una persona debe hacer.

montura: Conjunto de correas y otras cosas que se le ponen al caballo para montarlo.

mucuche: De la tribu indígena mucuches, de Mérida, Venezuela.

pendiente: Una cuesta o subida en un terreno.

suspendido: Que está colgado o levantado desde arriba, sin nada que lo sostenga desde abajo.

urdir: Pensar y preparar un plan con mucho cuidado.

Glossary

blind faith: complete, unquestioning trust

brisk: quick

command: at his command, ready to follow his orders

commander: the person in charge of a group of soldiers

comrades: companions, people who work, travel, or fight together

determined: firmly committed to doing something, with one's mind made up

dismounted: got off

drooping: hanging down

gallop: the fast running of a horse

halt: to stop

hut: a very small, simple building or house

liberate: to free or to make independent

master: owner

Mucuche: a Native American tribe of Venezuela

Nevado: the name of Simón Bolívar's dog. It means *snowy* or *snow-covered*, and it was given to the dog because of the white fur on his back.

Palomo Blanco: the name of Simón Bolívar's horse. It means *white dove.*

ramada: a shelter with a roof, but no walls

suspended: hanging

Edna Iturralde

Edna Iturralde comenzó escribiendo historias para sus hijos y hoy es una de las escritoras infantiles más publicadas y reconocidas de Ecuador. Fundó y dirigió durante once años la revista infantil *Cometa*, y también fue profesora de Escritura Creativa en la Universidad San Francisco de Quito. Ha recibido muchos premios y reconocimientos, entre los cuales se destaca la nominación al prestigioso premio internacional ALMA, en 2012.

Edna Iturralde started out writing stories for her own children and today is one of the most popular and widely published Ecuadorian children's authors. She established and directed for eleven years the children's magazine *Cometa*. She was also a professor of creative writing at the San Francisco University in Quito. She has received many awards and honors. One of the most outstanding among them is a nomination for the prestigious international ALMA award in 2012.

2023 NW 84th Avenue
Doral, FL 33122, USA
www.santillanausa.com

Managing Editor: Isabel C. Mendoza
Art Director: Jacqueline Rivera
Design and Layout: Grafika LLC
Illustrator: Ytziar Cori Álvarez
Translators (Spanish to English): Joe Hayes and Sharon Franco

Alfaguara is part of the **Santillana Group**, with offices in the following countries:

Argentina, Bolivia, Brazil, Chile, Colombia, Costa Rica, Dominican Republic, Ecuador, El Salvador, Guatemala, Mexico, Panama, Paraguay, Peru, Portugal, Puerto Rico, Spain, United States, Uruguay, and Venezuela

Conoce a Simón Bolívar / Get to Know Simón Bolívar
ISBN: 978-1-61435-348-5

Published in the United States of America
Printed in China by Global Print Services, Inc.

20 19 18 17 16 15 14 13   1 2 3 4 5 6 7 8 9 10